Scene-Sprache

Wie's mir geht? –
Ach ja, im Moment
bin ich ein bißchen
am Durchhängen ...
P. GAY

Wolfgang Prosinger
Das rabenstarke Lexikon der

Scene-Sprache

**Der große Durchblick für alle Freaks,
Spontis, Schlaffis, Softies, Flipper
und Hänger sowie deren Verwandte
und sonstige Fuzzis**

Illustriert von Peter Gaymann

EICHBORN VERLAG

CIP-Kurztitelaufnahme der Deutschen Bibliothek
Prosinger, Wolfgang:
Das rabenstarke Lexikon der Scene-Sprache:
d. grosse Durchblick für alle Freaks, Spontis,
Schlaffis, Softies, Flipper u. Hänger sowie deren
Verwandte u. sonstige Fuzzis / Wolfgang
Prosinger. — Frankfurt/Main: Eichborn
1984.
  ISBN 3-8218-1088-2
NE: HST

© Vito von Eichborn GmbH & Co. Verlag KG, Frankfurt am Main,
August 1984 · Cover: Uwe Gruhle unter Verwendung einer Zeich-
nung von Peter Gaymann · Gesamtherstellung: Fuldaer Verlagsan-
stalt GmbH · ISBN 3-8218-1088-2 · Affengeiles Verlagsverzeichnis
schickt irgendwie gern: Eichborn Verlag, D-6000 Frankfurt 70.

Gebrauchsanweisung zum ersten Lexikon der Welt, das den bürgerlichen Zwang zur alphabetischen Reihenfolge lachend in den Wind schlägt.

Nun glauben Sie bloß nicht, daß ich Mitleid mit Ihnen habe. Schließlich zwingt sie ja niemand, dieses Buch zu lesen. Wahrscheinlich sind Sie volljährig, möglicherweise sogar im Besitz Ihrer geistigen Kräfte. Gut, dann sind Sie selbst schuld, und ich kann mir die weiteren Worte sparen.

Andererseits, wer würde beim Beginn eines neuen Buches nicht die ewig bange Frage stellen: Was wird mir der Dichter nun sagen? Was Nutz und Frommen wird's mir bringen? Was war der Grund zu dieser Schrift? Nun, wer so schöne Fragen stellt, hat ein Recht auf eine Antwort. Merke also: Als Grund, ein Buch zu schreiben, kommen immer und überhaupt nur zwei Motive in Frage. Erstens: Die Absicht, unglaublich viel Kohle damit zu machen. Zweitens: Der Wunsch, die Welt zu verändern. Ersteres kommt bei diesem Buch selbstverständlich nicht in Betracht; denn außer Ihnen, liebe(r) Leser(in), kauft das sowieso kein Schwein, und mit der Kohle wird's wieder nichts. Also bleibt nur der zweite Grund: Dieses Buch wurde geschrieben, damit es die Welt verändere. Und zwar subito!

Was die Veränderung der Welt bisher verhindert hat, war ja das totale Unverständnis, das die bürgerliche Welt unserer hoffnungsvollen »alternativen Scene« entgegengebracht hat. Damit ist es von nun an vorbei. Dieses Buch reißt die Mauern des Mißverständnisses ein, dieses Buch erklärt endlich, was unerklärlich schien. Sie lesen es — und auf einmal ist alles klaro.

So wird dieses Buch durch die Welt gehen, und die Welt wird danach nicht mehr sein, was sie war. Es kann sich nur noch um Tage handeln. Deshalb, liebe(r) Leser(in), in der nächsten Zeit immer feste Fernseh gucken, die Tagesschau, den Köpcke und den Veigel, und auch den dicken Klarner vom ZDF. Denn die Meldungen werden sich überschlagen, die Welt wird aus den Fugen sein. So, und jetzt, ganz, ganz vorsichtig zu lesen beginnen. Es fängt ja auch alles ganz harmlos an. Erst nehmen wir nämlich hübsch ordentlich die Grundbegriffe durch: Was heißt eigentlich »alternativ«? Was ist eigentlich die »Scene«? Und dann — schön langsam — stoßen wir immer weiter vor in die Wunder des alternativen Lebens, lösen die geheimsten Rätsel, sprechen sie schonungslos aus: die letzten Wahrheiten.

Scene-Sprache: Das erste Lexikon der Welt, das den bürgerlichen Zwang zur alphabetischen Reihenfolge lachend in den Wind schlägt (aber dafür ein schönes Register am Ende hat). Scene-Sprache: garantiert unalphabetisch, garantiert unvollständig, garantiert rabenstark.

ALTERNATIV

Alternativ kommt vom lateinischen alter = der andere. Diese Bedeutung hat das Wort über die Jahrhunderte und Jahrtausende stets behalten — bis die siebziger Jahre des 20. Jahrhunderts kamen. Da geschah es. Ein rätselhafter Zwang ergriff die Menschen, massenhaft begannen sie, gegen die lateinische Sprache zu rebellieren. Und auf einmal (Umwertung der Werte?) hieß »alternativ« nicht mehr »anders sein«, sondern das genaue Gegenteil, nämlich »gleich sein«. Wenn also alle die gleiche Sprache sprechen, die gleiche Kleidung tragen, in die gleiche Kneipe gehen und die gleiche Meinung haben, dann sind sie alternativ. Merke: Wer etwas anders als die anderen machen will, ist nicht alternativ.

SCENE

Scene (sprich Siehn): Die »Scene« ist eng verwandt mit den Alternativen, d. h. sie besteht aus denselben. Wenn eine größere Menschenansammlung durch Ähnlichkeit der Kleidung, Sprache und Meinungen sich nicht mehr in einzelne Individuen auflösen läßt, spricht man von einer »Scene«. Wichtig dabei ist, daß sich jedes Mitglied der Scene stark bemühen muß, anders zu sein als die anderen. Durch dieses Bemühen entsteht die charmante Ähnlichkeit der einzelnen Scene-Mitglieder. Aber Achtung: Seit Mitte/Ende der siebziger Jahre sagt die Haarlänge der Scene-Mitglieder nichts mehr über ihre Scene-Mitgliedschaft aus.

VOLL

Voll, total, echt, unheimlich, irre: Bei diesen Wörtern handelt es sich um sogenannte Verstärker (dieses Wort kennt ihr ja von eurer Stereo-Anlage, gell). Da die alternative Scene erkannt hat, daß sich heutzutage (Reizüberflutung!) mit einem schlichten »sehr« aber schon gar nichts mehr ausdrücken läßt, greift sie notgedrungen zu härteren Mitteln, etwa: »Leute, ich bin echt total am Arsch« = »mir ist gerade ein bißchen unwohl.« Hinter diesen sprachlichen Verstärkungen steckt erstens ein gesundes Mißtrauen der Sprache als solcher gegenüber sowie zum zweiten die schmerzhafte Erkenntnis, daß einem normalerweise sowieso kein Schwein zuhört, weswegen man sprachlich immer viel stärker reinhauen muß, als es von der Sache her notwendig wäre. Die Wissenschaft nennt so etwas Pleonasmus. Früher ist aus solchen Sprachverstärkungen sogar eine richtige Kunstform geworden (Expressionismus!), aber bei den Alternativen drückt sich die Literaturwissenschaft natürlich wieder mal voll drum herum.

ABFAHREN

Abfahren: Dieses Wort wird in der alternativen Scene keineswegs in wintersportlicher Bedeutung (siehe auch: Rosi Mittermeier) gebraucht. Es hat auch mit der Deutschen Bundesbahn nichts zu tun. Vielmehr bezieht es sich auf den Bereich des sog. Sexuellen (= Geschlechtsbarkeit oder Knispeln*) und bedeutet: in Liebe zu jemandem entbrennen. Konstruiert wird »abfahren« mit der Präposition »auf«, wonach überraschenderweise der Akkusativ folgt. Falls es sich beispielsweise um eine männliche Liebesentbrennung gegenüber einer Frau (siehe dort) handelt, heißt es also: Ich bin unheimlich auf *die* Braut abgefahren. Niemals aber darf man sagen: auf *der* Braut abgefahren. Denn damit würde man die Frau ja zum Schlitten machen, und das wäre ein übler Chauvinismus. Was ist das? Einfach die nächste Seite lesen.

---

* Mit diesem Wort, das uns im weiteren noch mehrfach beschäftigen wird, erlauben wir uns eine Anleihe bzw. einen sog. geistigen Diebstahl bei Eckhard Henscheid, in dessen reiferem Werk (siehe: »Der Neger [Nergerl]« und »Dolce Madonna Bionda«) »Knispeln« das in seinem Œuvre zuvor gültige »Zinteln« ersetzt.

DER CHAUVI

Der Chauvi (sprich Schowi) ist eine der berühmt-
beliebten i-Abkürzungen des sprachlich so an-
spruchsvollen Vollworts »Chauvinist«. Früher ver-
stand man darunter einen besonders fanatischen
Nationalisten und gebrauchte das Wort in streng
politischem Sinn. Damit ist es heute vorbei. Denn
der wahre Alternative besteht seine Kämpfe nicht
mehr in der politischen Arena, sondern im Privatle-
ben, besonders im Kampf der Geschlechter. Hier-
bei sind männlicherseits seit Beginn der siebziger
Jahre Sanftmut und Geschmeidigkeit angesagt. Ver-
breitet ist der Chauvi (vulgo: das Schwein) derzeit
nur noch in einigen entlegenen Küstengegenden
Südeuropas. Dafür läßt er aber dort auch die Sau
(sic!) raus, daß es nur so kracht. Jawohl.

DER SOFTIE

Der Softie ist das genaue Gegenteil des Chauvis. Er ist weich von Seele und Leib. Nie mag er einem Leids tun, sanft bietet er die weiche Birne den Zeitstürmen, sitzt versonnen auf der Kachelofenbank, strickt Härenes, steht zu seinen Gefühlen und ist immer irgendwie echt offen. Er mag dich schon, bevor er dich kennt, und geht immer ganz spontan auf dich zu. Eine ganz besonders softe Art des Softies stellen jene Herren dar, welche, in oranges Rot gekleidet, die Städtebilder in letzter Zeit zunehmend verfärben. Keine noch so beleidigende Beleidigung vermag ihnen etwas anzuhaben, soft soften sie dich an, mit sich und ihrer Rosenholzkette, die sie um den Hals tragen, zufrieden. Das Glück der Seligen tragen sie im Herzen und besonders im Bauch. Und wenn die Welt in Scherben fällt, dann auch.

DEMO

Demo: Kommt von lateinisch demonstrare = herzeigen, beweisen, und heißt eigentlich Demonstration. Infolge der in den letzten Jahren zu recht entstandenen Notwendigkeit, besonders häufig zu demonstrieren, ist das Wort »Demonstration« durch fortschreitende Abschleifung und überhaupt grassierende Vernudelung der Sprache zur Kurzform »Demo« geschrumpft. Dieser Schrumpfungsprozeß ging einher mit einem steigenden Bedürfnis des Alternativen nach Exotisierung bzw. Romanisierung des Redens, die sich ganz besonders in den o-Endungen ausbreitet. Siehe dazu unter anderem die Beispiele: »Prolo«, »Fascho«, »logo« und »klaro«.

DER SCHLAFFI

Der Schlaffi: Ihn findet man auf der Demo ziemlich selten. Er wird deshalb von der »alternativen Scene« (siehe dort) scharf kritisiert. Gleichzeitig findet er jedoch wegen seiner andauernden Schlaffheit hohes Lob. Die nämlich kennzeichnet seinen fortgeschrittenen Bewußtseinszustand und unterscheidet ihn scharf vom »Sponti« (siehe da). Der Schlaffi weiß nämlich, daß rebus sic stantibus (= beschissen, wie es nun mal ist) ohnehin nichts zu ändern ist. Auf dieser erhabenen Stufe der politischen Analyse ruhend bleibt der Schlaffi lieber zu Hause, während die anderen auf die Demo gehen. Der Schlaffi sitzt gerne vor dem Fernseher, trinkt sein Pils und schaut sich die Sportschau an. Falls es sich um einen besonders weit fortgeschrittenen Schlaffi handelt, trinkt er toskanischen Landwein.

KNACKEN

Knacken: Dieses Wort gibt einige Rätsel auf. Unbestritten ist lediglich seine norddeutsche Herkunft (welche bei der alternativen Scene ohnehin beliebt ist). Aber ansonsten liegt seine Etymologie im dunkeln, und hat mit der Knackwurst ebensowenig zu tun wie mit der Panzerknackerbande. Inhaltlich tritt das Wort »knacken« die Nachfolge des vormals beliebten »Ratzen« an und heißt nichts anderes als »Schlafen«. Wichtig in diesem Zusammenhang ist allerdings, daß es sich beim Knacken stets um ein isoliertes Knacken handelt. Gänzlich unbekannt ist nämlich die Frage: »Knackste mal mit mir?«

DU

Du: Mit diesem Wort verfügt die deutsche Sprache über die famose Möglichkeit, Nähe und Ferne zwischen Personen schon in der Anrede zu signalisieren. Der fortgeschrittenere Teil der Bevölkerung hat indessen schon sehr frühzeitig erkannt, daß es sich bei der Wahlmöglichkeit zwischen »Sie« oder »Du« um eine vordemokratische, zutiefst reaktionäre Festschreibung von Rang- bzw. Klassenunterschieden handelt. Seit dieser Erkenntnis ist sowohl bei Sozialdemokraten als auch bei Kegelclubs das rigorose »Du« vorgeschrieben. Der Sieg über die bürgerliche Gesellschaft wurde dadurch mächtig vorangetrieben, und da wollte selbstverständlich die alternative Scene nicht zurückstehen, welche sich sofort zu einem sozusagen radikalisierten »Du« entschlossen hat. Das bedeutet, daß sich im Unterschied zum sozialdemokratischen Duzen die Mitglieder der alternativen Scene darauf verpflichten müssen, jeden Satz mit dem Wort »Du« zu beginnen, was sofort eine vertraute, entspannte und wunderbar breiartige Atmosphäre schafft. Wenn also — um ein Beispiel zu bilden — der Alternative mal irgendwo nicht mehr durchblickt, so hat er ganz schlicht zu sagen: »Du, weißt du, ich check' das echt nicht mehr.«

Gell, Müsli kommt von MÜSSEN!

DAS MÜSLI

Das Müsli: Verdankt seine i-Endung ausnahmswei-
se nicht der i-Sucht der alternativen Scene (siehe
auch Schlaffi, Sponti, Promi), sondern dem eben-
falls i-süchtigen Schweizerdeutsch. Das Müsli ist
das Grundnahrungsmittel des bewußten Alternativen. Es besteht aus einer bisher noch nicht restlos
geklärten Mischung aus Schweizer Milch, Joghurt,
Haferflocken (siehe auch: Körnerfresser) und Stein-
obst. Das Müsli führt sofort zu verschärftem Sod-
brennen, Aufstoßen sowie auch zur Diarrhoe, gilt
aber dennoch als unglaublich gesund. Es wird
hauptsächlich als Frühstück eingenommen, kann
aber auch auf der Demo (siehe dort) bequem im
Henkelmann mitgeführt werden.

DER PROLO

Der Prolo verachtet das Müsli. Er ernährt sich lieber von Schweinshaxen und Sauerkraut. Der Prolo zählt zu der in der alternativen Scene beliebten Gattung der o-Wörter. (Näheres siehe unter Demo.) Er ist eine Abschleifung beziehungsweise Abnudelung des Wortes »Proletarier« und kennzeichnet eine Verirrung: Nämlich die Tatsache, daß ein Unterdrückter überraschenderweise etwas gegen seine Unterdrückung unternehmen will. Deshalb schließt er sich der alternativen Scene an, die dann sehr stolz auf ihn ist und ihn gerne vorzeigt. Ansonsten kann sie nichts mit ihm anfangen.

AFFENGEIL

Affengeil: Während der erste Teil dieses Wortes lediglich eine jener tierischen Verstärkungen darstellt, wie sie heute geläufig sind (etwa: saugut, rattenscharf und natürlich ganz besonders: rabenstark, jawohl!), beansprucht der zweite Teil unser philologisches Interesse entschieden mehr. Haben wir es doch beim neuen Gebrauch des Adjektivs »geil« mit einer verblüffenden Rückwendung zum Mittelhochdeutschen zu tun. Völlig verloren hat dieses Wort in der alternativen Sprache nämlich jeglichen Bezug zur Sexualität (siehe auch Geschlechtsbarkeit oder Knispeln). Statt dessen erlebt die Sprache der Altväter ihre Renaissance: mittelhochdeutsch »geil« = froh. Wobei sich — dies gilt für die alternative Sprache allgemein — zugleich eine gewisse semantische Unschärfe einstellt, die nun aus »froh« so etwas wie ein allgemeines »gut« werden läßt. Also: Affengeil bedeutet nichts anderes als »sehr gut«. Die Wissenschaft nennt diesen sprachlichen Findungsprozeß »Regression«.*

---

* Wie wir Sekunden vor Drucklegung erfahren, ist »affengeil« inzwischen schon längst überholt. Eingebürgert hat sich vielmehr das zweifellos ausdrucksstärkere »oberaffengeil«.

IRGENDWIE

Sag doch nicht in jedem zweiten Satz IRGENDWIE — Das regt mich langsam irgendwie unheimlich auf!

Irgendwie: Es empfiehlt sich, dieses Wort bei allen Gelegenheiten in den Satz einzuklinken. »Irgendwie« ist nämlich irgendwie alternativ.* Es bezeichnet eine Abschwächung, und zwar eine bewußte und absichtliche. Der wahrhaft Alternative weiß nämlich, daß uns spätestens seit Hegel das echte enzyklopädische Wissen abhanden gekommen ist. Es wäre deshalb eine unverantwortliche Frechheit, eine Tatsache einfach als Tatsache zu behaupten. Nein, es gilt, in die Behauptung sofort deren Relativität einzuschieben, gemäß dem sokratischen »Ich weiß, daß ich nichts weiß«. Genau diese griechische Weisheit verbirgt sich hinter dem unscheinbaren Wörtchen »irgendwie«. So würde in der alternativen Scene zum Beispiel die Feststellung »Ich bin müde« als absolut unerträglich empfunden werden. Denn wer könnte das von sich schon so uneingeschränkt behaupten? Wenn jetzt beispielsweise im Fernsehen die total affengeile Nina-Hagen-Schau abliefe, na, dann wärste doch nicht mehr müde, oder? Siehste. Also vorsichtig sein mit der Müdigkeit und besser gesagt: »Leute, ich bin irgendwie unheimlich müde.« Genau. Mit dem »irgendwie« läßt du dir nämlich immer eine Hintertür offen und kannst dann genau das Gegenteil von dem machen, wovon du vorher so groß getönt hast. Und genau das hat der Sokrates gemeint. Irgendwie.

---

* Die insbesondere in etwas intellektuelleren Kreisen verbreitete Variante zu »irgendwie« heißt »irgendwo«. Besonders hübsch macht sich der virtuose Wechsel zwischen i- und o-Endung, zum Beispiel: »Also, irgendwo find ich das irgendwie beknackt.«

ANMACHEN

Anmachen: Damit begeben wir uns auf ein schwieriges Gebiet. Denn das beliebte Wort »anmachen« stellt den Sündenfall der alternativen Scene dar. Und darum müssen wir mit der Scene, die wir sonst so verehren, hier einmal recht kritisch umgehen. Echt, Leute, hier habt ihr euch vergriffen. »Anmachen« tut man nämlich ein Radio, einen Fernseher, vielleicht noch eine Waschmaschine, so man hat. Aber daß man sich von einem Typ (siehe dort) oder einer Braut (siehe auch dort) anmachen läßt, mal ehrlich, das klingt doch so, als hätte man es mit einem Apparat zu tun. Wenn also eine Frau sagt: »Der Typ hat mich echt angemacht«, dann stellt sie sich doch auf eine Stufe mit einem Elektroofen. Zum Objekt machen, nennt man sowas. Und genau dagegen kämpfen wir doch, wir Softies, Schlaffis, Alternativis. Sackerment!

DER BOCK

Der Bock: Hier begeben wir uns ins Tierreich. Der Bock zeichnet sich durch eine ganz besonders extreme Stärke seiner Geschlechtsbarkeit (=Knispeln) aus, was ihn in den Ruf versetzt hat, ständig voll des Gelüstes zu sein. In einer gewissen Kurzschlußreaktion wurde der Bock zum Synonym für die Lust schlechthin, auch für die, welche mit der Geschlechtsbarkeit gar nichts mehr zu tun hat. Eine Sonderform des Bockes stellt dessen Negation dar. »Keinen Bock auf etwas haben«, mag zwar als Formulierung manchmal noch hingehen, läßt aber dennoch das wirklich Zupackende vermissen. Merke also wohl: Wenn du keine Lust auf etwas hast, dann hast du am besten »Null Bock«. So ist es recht.

DER FLIPPER

Der Flipper hat nichts mit dem gleichnamigen Spielgerät zu tun, auch nichts mit einem fernsehbekannten Fisch (»Ein jeder kennt ihn / den klugen Delphin«). Der Flipper bezeichnet vielmehr eine unstete Person, die sich durch Sprunghaftigkeit, häufig wechselnden Kneipenverkehr und eine ständige Aufgeregtheit hervortut. Wenn man ihn sucht, ist der Flipper normalerweise nicht da (»Weiß auch nicht, wo der gerade wieder rumflippt«), hingegen trifft man ihn stets unvermutet, wenn man ihn nicht brauchen kann. Die Steigerungsform des Flippers ist der sog. Ausflipper. Eine weitere Steigerung ist der dreifache Flip, der verstärkt im Winter auftritt. Welche Beziehungen dieser zur alternativen Scene hat, ist allerdings bis heute noch nicht restlos geklärt.

DER HÄNGER

Der Hänger ist das Gegenteil des Flippers. Wenn man die alternative Kneipe betritt, braucht man gar nicht hinzusehen, man weiß, er ist da. Der Hänger hängt nämlich immer zur gleichen Zeit immer an der gleichen Stelle am gleichen Tresen herum. Zu schätzen an ihm ist seine gleichmütige Dauer-Existenz und seine absolute Unauffälligkeit. Er sagt wenig, trinkt viel. Er gehört zur alternativen Kneipe wie ein Stück Mobiliar, unverrückbar, ausdauernd. Er ist durch nichts zu erschüttern und er erschüttert auch keinen anderen. Wenn er sich doch einmal regen sollte, dann nur mit den folgenden Worten: »Du, Franz, machst mir noch 'n Pils.«

EINBRINGEN

Einbringen: Dieses Wort entstammt der bäuerlichen Scene (das Heu einbringen). Bekanntlich sind aber die alternative und die bäuerliche Scene innig miteinander verbunden durch die gemeinsame Vorliebe für das einfache Leben, für Kachelöfen und abgebeizte Schränke. Ein wesentlicher Unterschied besteht lediglich im Objekt des Einbringens. Statt des Heus bringt der Alternative nämlich seine Gefühle ein — oder besser noch: sich selbst. Wer sich eingebracht hat, ist drin, beziehungsweise unter angelsächsischem Verlust der ersten beiden Buchstaben »in«. Wer »in« ist, genießt die unermeßlichen Vorteile der Scenezugehörigkeit. Einbringen kann man sich am besten, indem man möglichst rigoros ignoriert, was die anderen gerade interessiert, und ganz unvermutet die allgemeine Aufmerksamkeit auf sich zieht, etwa mit den Worten: Leute, herhören, ich hab' da ein Problem. Mit diesem Satz hat man sich voll eingebracht.

ABBLOCKEN

Abblocken ist das genaue Gegenteil von Einbringen. Manchmal versuchen die Scene-Mitglieder, einem, der bisher immer ziemlich »out« war, zum Sich-Einbringen zu verhelfen. Aber was tut dieser undankbare Geselle? Mag einfach nicht, will seine Gefühle nicht hochkommen lassen, labert abgehoben daher, will sein verschüttetes Ich nicht ausagieren, kurz: Er blockt ab, der Sack. In einem solchen Fall sind zur Therapie sofort sogenannte Selbsterfahrungs-Wochenenden (am besten in der Toskana) zu verschreiben. Bei hartnäckigem Abblocken helfen nur noch verschärfte Meditation, Supervisionen, Psychodrama, Urschrei, Gestalt und Encounter. Aber immer.

DER PARKA

Der Parka: Hahaha! Da haben sie sich aber blamiert! Jetzt haben Sie wirklich gemeint, der Parka gehört zur alternativen Scene. Nix da! Der Parka ist ein fossiles Bekleidungsstück einer Generation, die mal gemeint hat, sie wäre alternativ (siehe auch: Apo-Opa). Der Parka eignete sich vorzüglich für Demonstrationen und gegen Wasserwerfer, aber echt, Freunde, für die Disco, da taugt er doch nichts!

DIE LATZHOSE

Die Latzhose hingegen ist von größerer Dauer, auch wenn ihre Beliebtheit seit Mitte 1982 spürbar nachgelassen hat. Insbesondere dient die Latzhose der Frauenbewegung, welche — darin verpackt — ein Fanal gegen die geläufige Abnudelung der Frau zum Lustobjekt sieht. Die Latzhose erreicht durch eine gewisse Gleichförmigkeit bzw. Wurstartigkeit ihres Stylings eine rasante Gleichschaltung der Geschlechter. Erst in der Latzhose ist die Begegnung der Geschlechter auf gleichberechtigter Basis gesichert. Wer nun einwenden möchte, an der Latzhose störe ihn das unglaublich sackmäßige, ja geradezu bescheuerte Aussehen, hat zwar völlig recht, begriffen hat er aber nichts. Zur Strafe: Täglich zwei Stunden Svende Merian lesen. Aber in der Latzhose.

BIO

Außer der Sahne alles Vollkorn.

Bio: Dabei handelt es sich nicht um einen unbegreiflicherweise beliebten Bahnhofsvorsteher, sondern um ein aus dem Griechischen entlehntes sogenannes Praefix. Unter einem Praefix verstehen wir einen Wort-Vorsatz, wie er zum Beispiel auch in dem überaus beliebten Praefix Scheiß- vorkommt (etwa: Scheiß-Wetter, Scheiß-Bulle). Im Gegensatz zu diesem Praefix, was immer in pejorativer (abwertender) Absicht gebraucht wird, meint das Praefix Bio stets etwas unglaublich Gutes.* Das Bio-Gemüse etwa ist ein blitzsauberes Gemüse, das sich durch einen umweltmäßig geringeren Versauungsgrad auszeichnet. Ähnliches gilt vom Bio-Rhythmus, von der Bio-Seife, der Bio-Tapete, der Bio-Energie sowie vom Biotop. Allen Bio-Wörtern gemeinsam ist, daß sie stets einen leuchtenden Willen zur Gesundheit ausstrahlen. Bio gilt deshalb schlechthin als das Synonym für das Gesunde. Weswegen es ein wenig verwundert, daß dieses Wort in der alternativen Sprache immer noch ein Dasein als bloßes Kopplungswort fristet. Wir warten mit Spannung darauf, daß es endlich die ihm zustehende Kraft als Adverb gewinnt. Zum Beispiel ließe sich die unglaubliche Gesundheit von Sesam-Brötchen doch ohne weiteres kurz und knapp darstellen mit dem Satz: Also, Sesam-Brötchen finde ich wirklich unheimlich bio.

---

* Von gleicher Gütequalität ist natürlich auch das Praefix »Öko-«, was im Prinzip das gleiche bedeutet.

SPONTAN

Spontan ist ein unglaublich alternatives Wort. Aber zunächst wollen wir eine orthographische

Frage klären: Das Substantiv (=Dingwort) zu »spontan« heißt allen Ernstes »Spontaneität«, auch wenn die alternative Scene das »e« nicht gerne wahrhaben will. Stimmt aber trotzdem.

Nun aber zum wichtigeren Teil: Spontan kann man nicht auf Kommando sein. Das hat die Forschung nach vielen Mühen herausgefunden. Danach geht es bei der Spontaneität (mit »e«) um eine sehr tief liegende Schicht menschlicher Möglichkeiten (siehe auch: präembryonal), und die alternative Scene sollte also hübsch vorsichtig sein mit der Forderung nach ihr. Da sie das aber nicht ist, hat es der Verklemmte unglaublich schwer in ihr. Der echt Spontane hingegen ist stets wohl angesehen und kann dauernd die schärfsten Aufrisse landen (siehe auch: knispeln). So ist das im alternativen Leben.

Eine besonders hervorragende Kostprobe der Spontaneität gab vor Jahren der sog. Kommunarde Fritz Teufel, als er in dem Münchner Lokal »Seerose« einer unschuldigen Kellnerin einen Leberkäs' samt Ei ins Gesicht warf, weil dieser ihm nicht wohlgeraten schien. Gerade an diesem Beispiel lassen sich die Vorzüge, aber auch die Nachteile der Spontanität trefflich studieren. Spontanität? Stopp, Spontaneität muß es heißen.

WEIHNACHT

Die alternative Weihnacht:[*] Das Weihnachtsfest verabscheut der Alternative aus tiefstem Herzensgrund. Denn es ist ihm ein Ausbund des stets bekämpften Konsumterrors (siehe dort). Der Alternative kauft auch keinen Christbaum, weil er glaubt, daß er dadurch den deutschen Wald rettet. Wenn der Heilige Abend naht, wird die alternative Scene zunehmend mürrisch, nimmt aber dennoch ein Wannenbad. Nun geht es nämlich ins elterliche Haus, wo sich erstens ein Christbaum und zweitens jede Menge Konsumterror befindet. Letzterer wird zunächst ziemlich getadelt. Dann packt der Alternative seine Weihnachtsgeschenke aus und ist tief enttäuscht, weil er statt der erwarteten Stereoanlage für 3000 Mark nur die Billigausführung für 2000 bekommen hat. Nach dieser Enttäuschung sucht er, alsbald das elterliche Haus zu verlassen, weil sich alle Alternativen um 23 Uhr in einer alternativen Kneipe treffen, die so alternativ ist, daß sie auch am Heiligen Abend geöffnet hat. Dort tadeln sie erneut und diesmal verschärft den allgemeinen Konsumterror und erzählen sich gegenseitig, was sie dieses Jahr zu Weihnachten bekommen haben.

---

[*] Strenggenommen hat die alternative Weihnacht in einem Sprach-Lexikon natürlich nichts zu suchen. Andererseits aber zeigt sich gerade hier, wie schwer es der Alternative im bürgerlichen Leben hat.

DER NORMALO

Der Normalo ist der Feind der alternativen Scene und wird deshalb von dieser bekämpft. Der Normalo zeichnet sich zum Beispiel dadurch aus, daß er gar nicht weiß, was ein Normalo ist. Zudem dreht er seine Zigaretten nicht selbst, sondern nimmt sie einfach aus der Packung. Falls es sich um einen weiblichen Normalo (Normala?) handelt, verweigert er (besser gesagt: sie) die begehrte sackartige Kleidung (siehe: Latzhose), auch die Haartönung durch Henna sowie die Aufforderung, der Heterosexualität abzuschwören. Mit solchem Schweinkram will der Normalo nichts zu tun haben. Statt dessen besitzt der normale Normalo einen Opel Kadett mit Rallye-Streifen, der extreme Normalo hat zusätzlich einen Fuchsschwanz an der Antenne hängen. Allein daran kann man schon sehen, was für ein unerträglicher Dumpfdepp und Sturstiesel der Normalo ist. Für die alternative Scene aber ist der Normalo trotz aller Feindschaft sehr praktisch: Weiß sie doch durch seine Existenz immer ganz genau, wie sie bestimmt nicht sein will.

DAS FEELING

Das feeling ist das A & O (siehe auch: Edeka) des alternativen Lebens. Aus der sattsam bekannten Erkenntnis, daß Denken dumm und gewalttätig macht, hat die alternative Scene die Konsequenz gezogen und das Gefühl zum Mittel- und Angelpunkt ihrer Existenz erhoben. Gefühle — egal welche — sind per se (= von sich aus) gut, weil sie echt (= authentisch) und nicht von den korrupten Kräften des Kopfes bestimmt sind. Der Kopf nämlich unterliegt pausenlosen Anfechtungen feindlicher Kräfte (CIA, KGB, Walt Disney, Adorno) und entfernt sich dadurch vom eigentlichen Wollen des Menschen (siehe dazu: Knispeln). Der Kopf (siehe auch: Hirni) ist deshalb der Feind der humanen Existenz. Da er sich jedoch nur unter Verlust derselben entfernen läßt, gilt es wenigstens, ihn unter allen Umständen und immer zu ignorieren.

DER BAUCH

Der Bauch ist das Gegenteil des Kopfes (siehe auch: Dualismus). Er verbürgt sich für Spontaneität, Emotionalität, feeling, Einbringen und Knispeln. Ungeklärt ist freilich immer noch die Frage, ob es wirklich der Bauch (Pansen) ist, in dem diese edlen Formen des Lebens ihren Platz haben. Vertreter neuerer Forschungen vermuten den Platz des Bauches möglicherweise in der Fußsohle, in den Zehen oder vielleicht auch im Knie. Wie dem auch sei, gesichert ist jedenfalls, daß sich der Ort der Emotionalität weit unterhalb des Gehirns befindet. Und das ist doch die Hauptsache, oder?

41

ÄTZEND

Ätzend ist voller teuflischer Gefahren. Es kann nämlich zwei ganz verschiedene, ja sogar gegensätzliche Bedeutungen annehmen. Zunächst einmal aber stammt es selbstverständlich aus der bunten Welt der Chemie. Dort meint es die Wirkung einer Säure, welche zum Beispiel auf der Haut recht heftige Spuren hinterläßt. Und damit sind wir auch schon am Ziel. Ätzend heißt nämlich ganz einfach: Etwas geht unter die Haut. Und das kann natürlich ebensogut etwas total Oberaffengeiles sein wie auch dessen Gegenteil, nämlich absolut Schrott. Wenn zum Beispiel jemand sagt, daß die neue Ina-Deter-LP echt ätzend ist, dann ja nicht gleich mit der eigenen Meinung rausgepladdert. Du weißt ja noch gar nicht, was der andere mit »ätzend« meint. Also Vorsicht! Das alternative Leben ist voller Tücken.

COOL

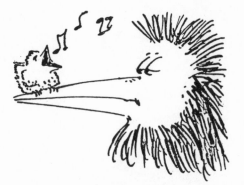

Cool sein ist alles. Deshalb empfiehlt es sich, bei jeder Art von Unsicherheit eine hundsgemeine Wurstigkeit an den Tag zu legen. Was auch geschieht, tu' immer so, als ginge dich das alles überhaupt nichts an. Am besten guckst du einfach grenzenlos gelangweilt in den Rauch deiner selbstgedrehten Halfzware und läßt ein eisiges Lächeln über deine Lippen gleiten. Dann merkt keiner, daß du schon wieder mal nicht durchblickst, dann hält dich jeder für unglaublich cool. Und die Mädels, echt Freunde, die stehen da sowieso unheimlich drauf.

DAS HOCHBETT

Das Hochbett ist eine Folge der Wohnungsnot. Da die Zimmer grundsätzlich zu klein sind, um neben der Stereo-Anlage auch noch ein Bett unterzubringen, hat sich die alternative Scene dem ansonsten stark kritisierten amerikanischen Manhattan-Prinzip zugewandt: Statt in die Breite in die Höhe. Vermittels hölzerner Pfosten wird das Bett knapp unter die Zimmerdecke angehoben. Dies führt zwar zu verschärfter Atemnot, Platzangst und Absturzgefahr (Knispeln!), schafft aber endlich mal Platz in der Bude.

DIE ISO-MATTE

Die Iso-Matte ist eine weitere Form der alternativen Schlafgewohnheiten. Sie ist die Nachfolgerin der veralteten Luftmatratze. Im Vollwort heißt sie Isolationsmatte, weil sie den alternativen Körper von Kälte und Nässe des Erdbodens isoliert, auf den sich der Alternative im Urlaubsfalle legt. Die Iso-Matte besteht aus Schaumstoff, ist leicht, praktisch und unbequem. Aber sie erspart das lästige Aufblasen des Vorgängermodells sowie das Mitführen eines dazu benötigten Balgs. Vom Hochbett unterscheidet sich die Iso-Matte in erster Linie durch die minimale Absturzgefahr. Im übrigen dient die Iso-Matte nicht nur dem alternativen Schlaf, sondern auch als Erkennungszeichen. Wenn du sie nämlich in zusammengerolltem Zustand irgendwo am Rucksack eines anderen baumeln siehst, dann weißt du genau: Das ist auch einer von uns.

DAS FLUGI

Das Flugi ist eine relativ neue Schöpfung des alternativen Sprachreichtums, allerdings auch eine besonders interessante. Denn es bezeichnet eine völlig neue Entwicklung in der Vorliebe des Alternativen für die i-Endung. Wir werden darum diesmal um eine genauere philologische Untersuchung nicht herumkommen.

Zunächst zur Klärung: Ein »Flugi« ist, wie kürzlich die Freiburger »Stadtzeitung« meldete, ein Flugblatt. Das konnte man sich zwar schon denken, es ist aber trotzdem verblüffend. Denn der bisherige i-Gebrauch beschränkte sich a) auf Wörter, die ohnehin ein »i« am Silbenende tragen (Chauvi-nist, Promi-nenter, Revi-sionist etc.) oder b) auf Adjektive, die durch das »i« zum Substantiv gemacht wurden (Schlaffi, Schwuli etc.) oder c) auf das Schweizerdeutsche, in dem das »i« beispielsweise als Bestandteil der Verkleinerungsform »-lein« auftrat (Müsli etc.). Im »Flugi« aber kommt das »i« völlig unmotiviert daher, ist sozusagen freie Kreativität, d. h. jetzt ist endlich der Wahnsinn total ausgebrochen. Mit diesem neuen Prinzip läßt sich nämlich aus jedem beliebigen Wort ein i-Wort machen. Dies hängt einerseits mit der fortschreitenden Infantilisierung unserer Gesellschaft zusammen (Michael Ende!), andererseits damit, daß heutzutage sowieso schon alles wurscht ist. Mit dem gleichen Recht, mit dem aus Flugblatt »Flugi« wird, könnte doch beispielsweise eine Unterhose künftig »Unti« heißen, ein Volkswagen »Volki« und ein Schreibtisch »Schreibi«. Es möchte einen ein heimliches Grausen anfassen und ein pfundschweres Magengeschwür.

DIE BETROFFENHEIT

Die Betroffenheit hat eigentlich (sic!) ein gewisser Theodor W. Adorno erfunden. Wer das war? Na, der Erfinder der Betroffenheit natürlich. Aber das tut nichts zur Sache. Wichtig ist hier nur, daß der Alternative pausenlos zu versichern pflegt: »Du, da bin ich aber jetzt wirklich echt betroffen von.« Die Betroffenheit eignet sich insbesondere zur Abwehr der sog. Gehirnfreaks oder kurz Hirnis (siehe dort). Wann immer so einer ein Argument vorträgt, braucht der Alternative bloß zu sagen: »Also, weißt du, irgendwie betrifft mich das gar nicht.« Und schon schifft der Argumentator hoffnungslos ab. Damit wird jede verkopfte Diskussion von vorneherein abgebügelt, was neben ideologischen Gründen auch den praktischen Vorteil hat, daß sich keine Sau mehr anzustrengen braucht (siehe dazu auch: easy). Mißgünstige Kritiker sprechen mitunter von einem sog. Betroffenheitskult der alternativen Scene. Wir halten das für eine äußerst schmerzliche Behauptung, die uns irgendwie betroffen macht. Womit sie widerlegt wäre. Im übrigen ist immer noch unklar, was das alles mit dem genannten Theodor W. Adorno zu tun haben soll.

FRAU

Frau: Statistisch gesehen gehören zirka 50 Prozent der alternativen Scene zum weiblichen Geschlecht. Unter diesen 50 Prozent wiederum hängt ein großer Teil dem sogenannten feministischen Gedankengut an. Diese Tatsache hat für die alternative Scene höchst verschiedene Folgen gehabt, unter anderem auch eine sprachbildende; denn merke: Sage mir, was du sagst, und ich sage dir, wer du wahrscheinlich bist. Kurzum, die Revolution wurde mit einem unscheinbaren Wörtchen eingeleitet. Erkannt wurde nämlich vom fortgeschritteneren Teil der Frauenbewegung, daß das unpersönliche »man« eine sprachliche Abnudelung des Ursprungswortes »Mann« darstellt, was weiblicherseits natürlich eine scharfe Distanzierung erfordert. Schließlich ist es eine schreiende Ungerechtigkeit, beispielsweise zu sagen: »Man weiß…« Als ob das Wissen den Männern vorbehalten wäre! Diesem Chauvinismus (siehe dort) zu wehren, setzte die Frauenbewegung dem »man« ein trotziges »frau weiß« entgegen. Womit alles seine schöne Ordnung hätte, wenn nicht… Tja, jetzt — alle Frauen weghören! — jetzt kommt's. Ich kann ja wirklich nichts dafür, aber das Wort »Frau« leitet sich leider, leider vom altdeutschen »fro« ab, und das heißt nun mal — die Feder sträubt sich, aber es ist trotzdem wahr — das heißt nun mal: HERR (siehe auch: Fronleichnam). Das ist natürlich Pech. Da will frau einen Sprachchauvinismus korrigieren und tappt dabei voll in den nächsten.

PLASTIK

Plastik: Wichtig bei diesem Wort ist die richtige Aussprache. Denn der bewußte Alternative sagt nicht einfach »Plastik«, nein, er spricht das so aus, wie es ist, nämlich Pläästik. Erst so wird der abgrundtiefe Ekel deutlich, den der Alternative vor der Kunststoffwelt hat. Mit der Erfindung von Plästik hat nämlich die Menschheit ihren Sündenfall begangen, Plästik ist das Synonym für alles Scheußliche, Schreckliche, Erbärmliche, kurzum: Plästik ist das eigentlich Böse in der Welt. Mit dieser Einsicht unterscheidet sich der Alternative scharf vom amerikanischen Präsidenten Reagan, der die Heimat des Bösen bekanntlich woanders sieht. Aus dieser Diskrepanz erklärt sich jener gewisse Unterschied, der zwischen dem amerikanischen Präsidenten und der alternativen Scene besteht.

DER LINDI

Der Lindi ist zunächst ein bißchen verwirrend. Der alternative Anfänger könnte nämlich meinen, er stoße hier auf eine ihm bisher nicht bekannte Abart des Softies (siehe da). Ein peinlicher Irrtum. Denn gemeint ist hier selbstverständlich der in seiner ganzen Fünfsilbigkeit so schwer auszusprechende Udo Lindenberg. Die Schöpfung »Lindi« bezeichnet jedoch nicht nur eine höchst vernünftige Verkürzung der so schwierigen Vollsprache, sondern drückt auch eine der i-Endung stets innewohnende Zärtlichkeit aus (siehe auch: Gollwitzer = Golli). Interessant würde es freilich erst, wenn diese Beispiele Schule machten. Wir bitten die alternativen Kreise deshalb um ernste Erwägung folgender i-Kreationen: Kohli, Lambi, Stolti, Riesi, Stoibi, Wörni, Börni. Renitent zeigen sich in diesem Fall wieder einmal die Grünen. Was machen wir bloß mit Schily und Kelly?

DER WORKSHOP

Der Workshop zerfällt in zwei Teile. Erstens Work (sprich: Wööök), das bedeutet Arbeit. Zweitens Shop, das heißt: unheimlich Kohle machen. Zweiteres ist der eigentliche Sinn des Workshops. Die präzise Übersetzung von Workshop ist »Werkstatt«. Nur, daß darin keine Stiefel, Tische oder Schränke produziert werden, sondern Illusionen. Das Entscheidende am Workshop ist nämlich, daß er stets auf jene unerfüllten Träume reagiert, die gerade angesagt (siehe dort) sind. Dabei handelt es sich in erster Linie um Selbsterfahrungen aller Art, aber auch um Körpersprache, Urschrei, Meditationen und Töpferarbeiten. All das ist im Workshop zu haben. Wenn der Workshop zu Ende ist, sind alle Teilnehmer an ihrer Seele reicher geworden. Für den Workshop-Leiter trifft das weniger seelisch, aber dafür wenigstens in materieller Hinsicht zu. Das gilt in besonderem Maße für jene Workshops, welche in letzter Zeit mit Vorliebe in der Toskana stattfinden. Die Vorzüge dieses Landstrichs (Ja, ja, der Chianti-Wein), seine im Bergland relativ dünne Besiedelung (prima Urschrei-Gelegenheit) sowie seine hohen Lehmvorkommen (Töpferei!) und die erstaunliche Toleranz seiner ratlosen Bevölkerung bieten ideale Workshop-Voraussetzungen.

55

ANSAGEN

Ansagen: Damit begeben wir uns auf das heitere Feld der sog. autoritären Konflikte. Gell, das ist eine Überraschung. Aber wie man gleich sehen wird, ist das eigentlich ganz logisch, ja sogar logo. Denn die beliebte Scene-Floskel »Heute ist das und das angesagt« ist eine typische Form der passivischen Tätervermeidung. Wenn nämlich etwas »angesagt«, weil dringend nötig ist, dann weiß doch kein Schwein, wer da eigentlich was angesagt hat, beziehungsweise will es wahrscheinlich auch niemand wissen, aber alle machen natürlich wieder mal mit. Sie unterwerfen sich also einer übergeordneten Instanz, die sie nicht kennen, aber auf deren Ansage alle hören. Diesen Vorgang bezeichnet man als sog. Autoritätshörigkeit.

EASY

Easy ist für Lexikon-Zwecke ein ganz prima Wort. Denn es offenbart gleich drei alternative Grundprinzipien auf einmal. Erstens trägt es die beliebte i-Endung, über die wir auf den letzten Seiten schon so viel geschrieben haben, daß es jedem längst zum Hals heraus hängt. Darauf nehmen wir natürlich Rücksicht und halten diesmal hübsch den Mund. Zweitens ist »easy« englisch und schon deshalb gut. Drittens aber erkennen wir im Wort »easy« endlich die Grundlage der alternativen Existenz überhaupt. Der Alternative glaubt nämlich, im Leben müsse alles immer und jederzeit und überhaupt ganz leicht und ganz locker gehen. Mit dieser Meinung beißt er zwar jeden Tag auf Granit, aber er läßt sich trotzdem nicht davon abbringen. Falls etwas nicht easy (=heavy) geht, hält es der Alternative schon allein deshalb für schlecht.

DUMMSÜLZEN

Dummsülzen ist ein sog. Schimpfwort. Es bezeichnet haargenau und plastisch (plästisch?) jene Art der Antwort, die man normalerweise bekommt, wenn man einen Politiker etwas gefragt hat. Dies ist bekanntermaßen etwas Glitschiges, Glattes, Glibberiges, Gallertartiges, kurzum: Sülze. Gepaart mit dem Wort »dumm« entsteht daraus ein wunderbar ekelerregender Brei. Der zweitgrößte Dummsülzer der Nation ist übrigens kein Politiker, sondern — aber nein, vom Fußball wollten wir hier doch wirklich nicht reden.

DER TYP

Der Typ ist das Ergebnis einer Ratlosigkeit. Bekanntlich hat die Frauenbewegung wohlbegründete Schwierigkeiten mit dem Wort (und dem Wortinhalt) »Mann«. Da es jedoch Vertreter der Spezies, die bisher mit dem Wort »Mann« bezeichnet wurden, möglicherweise auch in absehbarer Zukunft noch geben wird, mußte dafür eine neue Bezeichnung gefunden werden. Das Ergebnis der Wortsuche fiel leider etwas dürftig aus: Die Frauenbewegung einigte sich nämlich unerklärlicherweise auf das etwas seltsame Wort »Typ«, was leider inzwischen gar nichts mehr darüber aussagt, ob der Typ wirklich ein Typ ist.

Umgekehrt ist es übrigens nicht besser gegangen, sondern im Gegenteil schlecht, sehr schlecht, eigentlich sauschlecht. Anfangs haben sich die Männer nämlich noch damit beholfen, die Fräuleins, Damen und Mädels allesamt kurzum »Frau« zu nennen. Das war zwar nicht besonders genial, aber immerhin noch viel besser als das umgekehrte »Typ«. Inzwischen aber hören unsere erschreckten Ohren so unglaubliche Kreationen wie etwa »Tussi«, »Disco-Torte«, »Supermutter« oder gar »zombige Tante«. Tja, manchmal wird das alternative Leben halt schon sehr alternativ...

DER POPPER

Der Popper ist eine Störung der alternativen Scene. Er zeichnet sich durch den sogenannten Schwenker-Haarschnitt aus und ist in der Regel hellblond. Der Popper ist meistens sehr proper, oft ziemlich jung und immer ein reaktionärer Sack. Deshalb ist er beim Alternativen nicht beliebt und muß sich packende Kampfrufe gefallen lassen, etwa: »Haut die Popper platt wie Whopper« oder noch ein bißchen schöner: »Liegt der Popper tot im Keller / war der Punker wieder schneller«. Bei diesen Sprüchen handelt es sich indessen um nichts weiter als um bloßes sogenanntes Imponiergehabe. Im Ernst nämlich würde der bewußte Alternative dem Popper nie etwas zu Leide tun. Denn der Popper ist ihm eigentlich echt egal.

UND SO

Und so: Nun dürfen wir ein neues Wort lernen. Es heißt »Suffix«. Anders als beim schon besprochenen Präfix (Genaueres siehe unter dem Stichwort »bio«) finden wir das Suffix stets am Ende eines Wortes bzw. Satzes, etwa: »Leute, das finde ich echt stark und so.« Dem Laien will diese Wendung befremdlich, unverständlich, ja kryptisch erscheinen: Was will der Redner mit seinem geheimnisvollen »und so« sagen? Die Antwort ist jedoch ganz einfach: Hier entdecken wir wieder einmal die grenzenlose Bescheidenheit des Alternativen. Er weiß nämlich, daß das, was er den ganzen Tag so vor sich hin schwafelt, irgendwie nicht ganz stimmen kann. Was macht er aus dieser Erkenntnis? Nein, er hält nicht den Mund, sondern er redet noch viel mehr. Weil er nämlich hinter jedes zweite Wort sein »und so« dranhängt. Damit ist er fein raus, weil er sich so nie genau festlegen muß. Der Schweizer ersetzt übrigens das »und so« durch das knappere »odr«.

DAS KOLLEKTIV

Das Kollektiv ist das Schönste im alternativen Leben. Aus der Erkenntnis, daß — sagen wir mal — ein im Schlamm steckengebliebenes Auto einer allein nie rauskriegt, zehn Leute aber ganz leicht, erfolgte in den frühen siebziger Jahren die frivole Folgerung, daß das im Leben immer so sein müsse. In der Praxis sieht das so aus: Wenn beispielsweise ein junger alternativer Rechtsanwalt bankrott geht, dann holt er sich noch zwei bis drei andere und gründet ein Anwaltskollektiv. Durch diesen Kunstgriff geht die Kanzlei zwar noch schneller kaputt, aber das feeling ist halt doch ganz anders.

DIE BEZIEHUNGSKISTE

Die Beziehungskiste haben wir uns bildlich vorzustellen. Es handelt sich dabei um eine Kiste, in der es bekanntlich immer eng und die so dick vernagelt ist, daß kein Entrinnen möglich ist. Kiste bedeutet in der alternativen Sprache deshalb so viel wie Gefängnis, vulgo Knast. In eben diesem Knast befinden sich zwei Menschen, welche eine Beziehung zueinander unterhalten, die wegen ihrer kistenmäßigen Beschränktheit in einem gewissen Widerspruch zur Freiheit steht. Trotzdem sind alle wie der Teufel hinter dieser Kiste her. Aber es ist natürlich streng verboten, das zuzugeben. Darum motzen alle, was das Zeug hält; in die Kiste steigen sie aber trotzdem rein.

P. S.: Die mehr oder weniger logische Fortsetzung der Beziehungskiste ist übrigens die sogenannte Kinderkiste. Auch nicht schlecht.

EINE BEZIEHUNG IST,...

... wenn _er_ dir Eine dreht !

DIE WG

Die WG (sprich: Wegeh): Es gibt kaum ein anderes Wort, das so scharf den Trennungsstrich zwischen der Burschoasie (schreib: Bourgeoisie) und der alternativen Scene zieht. Während es für letztere nichts anderes als die praktische Abkürzung des umständlichen Wortungetüms Wohn-ge-meinschaft bedeutet, beharren die ewig Gestrigen immer noch darauf, WG sei nichts anderes als die Kurzformel für Winzergenossenschaft. Dieser Streit zweier Linien kann auch nicht dadurch aus der Welt geschaffen werden, wenn man bedenkt, daß im zweiten Wortteil eine gewisse Übereinkunft besteht: Gemeinschaft und Genossenschaft, das ist in der Tat etwas Ähnliches. Aber, echt, zwischen Wohnen und Winzen ist halt doch irgendwo ein Unterschied.

Inhaltlich steht die WG (als Wohngemeinschaft) in strengem Widerspruch zur »Beziehungskiste« (siehe dort), sie ist genauer gesagt deren tendenzielle Auflösung. Diese Behauptung befindet sich allerdings in einem heftigen Spannungsverhältnis mit der Realität, d. h. auf deutsch gesagt: Irgend etwas stimmt daran wohl nicht, ja es ist vielmehr alles erstunken und erlogen. In Wirklichkeit ist nämlich die WG die ins Unendliche vergrößerte und vergröberte »Beziehungskiste«, ist sozusagen die totale »Überkiste«, der schiere Wahnsinn, und überhaupt ist alles der größte Scheiß. Ganz anders verhält es sich hingegen bei der WG als Winzergenossenschaft. Sie führt nämlich ganz entschieden zur Auflösung der »Beziehungskisten«. Und wenn nicht, dann macht sie sie immerhin erträglich. Zum Wohlsein!

RUMMACHEN

Rummachen: Hier begeben wir uns — na endlich — wieder einmal auf das Gebiet der Geschlechtsbarkeit (siehe: Knispeln). Dabei spielt das Wort »rummachen« insofern eine bezeichnende Rolle, als es dartut, daß die alternative Scene gewisse Schwierigkeiten mit der sog. Anstrengung des Begriffs (siehe auch: Hegel) hat. D. h. sogar im Bett, im Hochbett zumal, gibt es heutzutage keine Präzision mehr, alles ist diffus, niemand weiß genau, was er macht, und darum macht er halt »rum«. Gesichert scheint bei alledem lediglich, daß es sich beim »Rummachen« nicht um den eigentlichen Vollzug der Geschlechtsbarkeit handelt, sondern nur um eine ungefähre Annäherung an dieselbe. Dies gilt für die gesamte BRD einschließlich Westberlins, mit Ausnahme des Landkreises Ibbenbüren. Dort nämlich meint das Wort »rummachen«, wie uns aus Westfalen glaubhaft versichert wird, nicht bloß etwas Ungefähres, sondern es heißt vielmehr ganz voll…, aber was denn bloß?

ANGRABEN

Angraben: Bei diesem Wort geht es um die sogenannte Partnerfindung, und deshalb wird sich auch diesmal das Thema Geschlechtsbarkeit nicht vermeiden lassen. Wir betrachten die Geschlechtsbarkeit dabei jedoch in ihrem ersten, schüchternen Stadium, der sog. »Angrabe«. Davon spricht man, wenn sich ein Geschlechtsbarkeitspartner dem anderen in einer gewissen Form der Zurückhaltung, sozusagen im Versuchsstadium nähert. Dieses beginnt er mit stillen, geradezu verschämten Schmeichelworten. Sollte das nichts fruchten, wird sofort der zweite Gang eingelegt, und es findet das beliebte »Anmachen« (siehe dort) statt, was nichts anderes als eine Steigerungsform des Angrabens ist. Sollte das Anmachen auf seiten des Partners irgendeine Art von Resonanz zeigen, ist sofort auf die dritte Stufe überzugehen, auf das sog. Reinschaffen. In diesem Stadium wird eine gewisse Anstrengung nicht zu vermeiden sein: aber sie lohnt sich. Denn wer sich ordentlich reingeschafft hat, wird den Erfolg in der vierten Abteilung ernten, dem sog. »Aufreißen« oder, kurz gesagt, dem Aufriß. Und darauf kommt es doch an. Oder vielleicht nicht?

DER FEUERSALAMANDER

Der Feuersalamander ist ein Tier und gehört deshalb ins sogenannte Tierreich. Er hat wunderschöne Färbungen auf dem Rücken und zischt im Süden zwischen den Beinen herum. Der Feuersalamander erreicht im Normalfall eine Größe von... Aber was ist heute schon normal? Und warum kommt dieser Feuersalamander ausgerechnet hier im alternativen, rabenstarken Lexikon vor? Tja, das möchste wohl gerne wissen. Andererseits: Heutzutage, bei der fortschreitenden Idiotisierung des Lebens und der Politik, bei der grassierende Debilisierung des Alltags und der schlechthinnigen Beliebigkeit und Wurschtigkeit von allem und jedem, kann hier ja auch ruhig mal was über den Feuersalamander stehen, ohne daß es weiter auffiele.

Mal im Ernst: Angesichts der Krise des deutschen Fußballs sowie der Tatsache, daß Leute mit den Namen Stoiber und Tandler öffentlich Reden halten dürfen, ist doch sowieso schon alles irgendwie egal. Und darum: Bei der totalen Unbegründbarkeit solcher Vorgänge ist der Feuersalamander hier absolut richtig am Platz. Oder auch nicht.

REINZIEHEN

Reinziehen hat einen Zustand der Leere zur Voraussetzung. Dieser kann sich entweder im Kopf oder im Bauch befinden. Falls der Alternative wünscht, daß diese Leere gefüllt werde, macht er sich an das sog. »Reinziehen«, was lakonischer auch als »Reintun« bezeichnet wird. Ein besonders schnelles Reinziehen bzw. Reintun nennt der Alternative hingegen »Reinpfeifen«, etwa: »Muß mir schnell mal 'ne Pizza reinpfeifen.« Falls sich die Leere im Gehirn befindet, sagt der Alternative zum Beispiel: »Ich glaub', ich muß mir dringend mal 'n bißchen Castaneda reinziehen.«* Zu unterscheiden vom Rein-Ziehen/-Pfeifen/-Tun ist das sog. Einwerfen. Davon spricht man bei der Benutzung von Tabletten bzw. beim beliebten Drogenmißbrauch. Und noch einmal anders ist es bei der Einnahme von flüssigen alkoholischen Gegenständen. Hier wäre sowohl Einwerfen als auch Reinziehen ganz falsch. Vielmehr hat man hier vom »Schütten« zu sprechen (»Na, wieviel haste heute schon geschüttet?«). Also, immer gut auf die Unterschiede achten. Und da sage nochmal einer, die alternative Sprache sei undifferenziert.

---

* Davor muß allerdings an dieser Stelle ganz entschieden gewarnt werden. Mensch, Leute, lest doch endlich mal wieder was Vernünftiges!

STEHEN AUF

Stehen auf: Hier treten gewisse Kasus-Schwierigkeiten auf. Immer noch finden wir nämlich (sogar in der Scene-Literatur) ärgerliche Dativ- und Akkusativ-Verwechslungen. Endlich aber wird hier, im »rabenstarken Lexikon« letzte Klarheit geschaffen. Also aufgepaßt, Fäns: »Stehen auf« wird grundsätzlich und immer mit dem Akkusativ (Wen-Fall) konstruiert. Das ist natürlich nicht immer so ganz einfach zu erkennen. Wenn zum Beispiel einer sagt: »Ich steh' auf Bio-Gemüse«, dann ist die Kasus-Frage natürlich noch ziemlich offen. Aber wenn du, sagen wir mal, eine echte Liebeserkärung von dir geben willst, dann darfst du um Himmelswillen niemals sagen: »Ich steh' auf dir«. Nee, nee, das wäre ein sogenannter Partnermißbrauch, weil du ja den anderen damit zum bloßen Ständer degradieren würdest. Richtig ist vielmehr: »Du, weißt du, ich steh' unheimlich auf dich.« Dann erst weiß der andere, daß du's jetzt tierisch ernst meinst. Und erst dann kann die totale Beziehungskiste (siehe dort) so richtig losgehen. Übrigens: Viel Glück dabei.

DER PROMI

Der Promi: Mit ihm tut sich der Alternative gar nicht leicht. Denn der Promi (=Prominenter) gehört zu dem Teil der Welt, den der Alternative strikt ablehnt. Gleichzeitig aber ist er ziemlich froh, wenn sich der Promi (siehe: Heinrich Böll, Golli, Lindi) auf einer Demo (siehe dort) sehen läßt. Dann nämlich, folgert der Alternative, wird der deutsche Ordnungshüter schlagstockmäßig von einer gewissen Verhaltung ergriffen; d. h. er haut dir möglicherweise nicht so fest auf die Birne, weil er ja sonst aus Versehen vielleicht auch dem anwesenden Promi heftig eins über den Schädel geben könnte. Das will der deutsche Ordnungshüter nicht; denn der Lindi macht ganz bestimmt gleich wieder ein Lied aus diesem Vorfall, und das singt er möglicherweise, bzw. eventuell bei seiner nächsten DDR-Tournee, und der deutsche (bzw. westdeutsche) Ordnungshüter steht dann wieder ganz blöd da. Wegen dieses etwas komplizierten Gedankengangs schätzt der Alternative den Promi, obwohl er ihn eigentlich gar nicht schätzen dürfte. Deshalb bekommt der Alternative natürlich Kopfschmerzen, aber er sagt sich zu recht, daß die Kopfschmerzen, welche von einem Schlagstock herrühren, vielleicht doch noch etwas unangenehmer sein könnten.

ZU SEIN

Zu sein: Dieses Wort drückt zwei völlig entgegengesetzte Inhalte aus. Erstens: »Zu« ist jemand, der zu viel getrunken bzw. geraucht hat (siehe auch: breit bzw. extra-breit). Kurzum: Einer ist besoffen, bekifft, ist also nicht mehr zu-rechnungsfähig. Die Steigerung von »zu« heißt übrigens »hackezu«. Warum das so ist, weiß niemand. Zweitens: »Zu« ist einer aber auch, wenn er psychomäßig voll abblockt, nichts an sich ranlassen will, verklemmt, verhärtet, vernietet und vernagelt ist. Tja, zwischen diesen beiden Wortinhalten ist ja irgendwie schon ein gewisser Unterschied, weshalb sich wieder mal kein Schwein mehr auskennt. Andererseits muß aber hier Folgendes gesagt werden: Spät genug, aber immerhin noch nicht zu spät zeigt sich, daß die alternative Sprache voller feiner Differenzierungsmöglichkeiten steckt. Hatte man anfangs nämlich noch geglaubt, die Scene-Sprache neige zu gewissen Vereinfachungen, so kann man jetzt voller Stolz sagen: Nix da, das brutale Gegenteil ist der Fall, die Ausdrucksmöglichkeiten der Scene sind so vielfältig, daß du manchmal kommunikationsmäßig überhaupt nicht mehr durchblickst.

Mein Leben entartet in dieser beknackten WG langsam zu einer einzigen BIO-graphie!

Marco drehte wieder mal voll hohl. Da ging bei ihm ironisch echt was ab! Zoff war angesagt!

ZOFF

Zoff: Hier ist die Etymologie völlig unklar. Selbst der gleichnamige legendäre italienische Fußball-Torwart hilft hier kaum weiter. Geboren wurde das Wort vermutlich aus der Vorliebe der alternativen Scene für die sog. Lautmalerei (welche sich zum Beispiel auch in den beliebten Imperativen »kotz«, »würg«, »ächz« wiederfinden läßt). Wie auch immer, »Zoff« bedeutet so viel wie Ärger, Streit, Stunk (»Jetzt gibt's Zoff«). Der Zoff steht allerdings in einem starken Widerspruch zum Grundprinzip der alternativen Lebensanschauung; denn dieser geht es bekanntlich um nichts als Sanftmut, Frieden und Sanftmut. Deshalb ist der Alternative eigentlich zutiefst unglücklich, wenn es wieder mal Zoff gibt. Aber was sein muß, muß eben sein. Und sein muß der Zoff — abgesehen von politischen Notwendigkeiten (»Auf die Dauer hilft nur Power«) — vornehmlich im Bereich der sog. Beziehungskisten (»Gestern wieder ziemlich Zoff mit Ursel gehabt«). Weitere Worte für Zoff sind: »Randale« (pol.), »Putz« (pol. oder alkoholbedingt) oder aber auch das etymologisch ziemlich überraschende »Galama« (priv.).

TIERISCH

Tierisch: Dieses Wort (Adverb!) ist unter die sog. Verstärker einzureihen (siehe einerseits: Stereo-Anlage, andererseits: echt, total, irre, wahnsinnig, voll). Wenn etwas tierisch ist, dann ist es natürlich auch affengeil, saugut, rattenscharf, stiermäßig, rabenstark (!) und alles andere, was sich im Tierreich sonst noch an Superlativen finden läßt. Daraus ist zu lernen, daß der Alternative ein sehr enges Verhältnis zur Zoologie pflegt. Das deutet auf ein gesundes Mißtrauen gegenüber der menschlichen Zivilisation hin sowie auf ein ungebrochenes Verhältnis zur Natur. Die besondere Liebe des Alternativen aber gilt dem Elch, von dem er sich in überraschenden Situationen geknutscht fühlt. Einen Höchstgrad seiner ärgerlichen Erregung aber drückt der Alternative mit den Worten aus: »Ich glaub', ich werd' gleich zum Elch!«

DER HIRNI

Der Hirni ist ein Überbleibsel aus sehr vergange-
nen Tagen. Obwohl spätestens seit 1968 bewiesen
ist, daß er auf dem falschen Dampfer fährt, glaubt er
immer noch daran, daß die Welt durch Lesen bzw.
Diskutieren zu verändern sei. Mit dieser Meinung
steht der Hirni zwar völlig einsam da*, aber es ge-
lingt ihm trotzdem immer wieder, die alternative
Scene nachhaltig zu stören. Wenn es nämlich gerade
so richtig nett ist und alle die unglaublichsten vibra-
tions (siehe dort) kriegen, weil das feeling wieder
mal absolut stimmt, dann kommt doch totsicher
der Hirni an und meint, man müsse das doch alles
erst mal kritisch hinterfragen oder wenigstens ein
bißchen andiskutieren, bzw. ob man nicht am besten gleich eine Arbeitsgruppe starten könne. Damit macht sich der Hirni unglaublich unbeliebt,
aber er hat es natürlich geschafft, die Stimmung total auf Null zu bringen.

---

* Eine besonders paradoxe Variante des Hirnis stellt der Philosoph Peter
  Sloterdijk (Swami Deva Peter!) dar, welcher kürzlich auf 954 Seiten ange-
  strengtesten Hirnens die totale Überflüssigkeit desselben nachzuweisen
  suchte.

Was strickst denn grade?
Ooch, en paar Legwarmer
Echt? Ich auch!
Irgendwie 'n geiler Zufall
P. GAY

CIAO

Ciao (sprich: tschau) verwendet der deutsche Alternative im Gegensatz zum Italiener, der es auch zur Begrüßung gebraucht, ausschließlich als Abschiedswort. Breite Kreise erreichte das »tschau« im Jahr 1976, als die westdeutsche Linke fest mit einem Wahlsieg der italienischen Kommunisten rechnete. Damit ist es zwar nichts geworden, aber der Alternative fährt seither trotzdem dauernd nach Italien. Dort interessiert ihn inzwischen nicht mehr der Kommunismus, sondern der sog. Workshop (siehe dort). Zu diesem reist der Alternative vornehmlich in die Toskana, weil er da besonders viele Deutsche trifft. Diese sagen nun bei jeder Gelegenheit »tschau« zueinander, so daß sie es sich auch nach ihrer Rückkehr nicht mehr abgewöhnen können. Also aufgepaßt: In der alternativen Kneipe immer feste »tschau« sagen und nicht etwa das teutonische »tschüß« oder noch blöder »Servus«, »Ade«, »Mojn«, Tschö« oder gar »Auf Wiedersehen«.

VERSYPHT

Versypht nennt der Alternative eine Sache dann, wenn sie schmutzig, dreckig, heruntergekommen ist. Unschwer läßt sich das Ursprungswort erraten: Jene teuflische Krankheit nämlich, welche sich zu früheren Zeiten häufig als Folge des unkontrollierten Knispelns (siehe: Geschlechtsbarkeit) einstellte. Damit ist es heute durch die Fortschritte der sog. Partnerhygiene weitgehend vorbei, bzw. scheint ja auch das unkontrollierte Knispeln selbst (siehe: sexuelle Revolution) seit kurzem ziemlich auf dem Rückmarsch zu sein. Ich meine, wenn sogar schon der Weise Bhagwan höchstpersönlich dazu rät, vor der sog. Liebesbegegnung Handschuhe anzuziehen, dann ist doch — geschlechtsmäßig gesehen — sowieso nicht mehr viel los, bzw. Matthäi am letzten. Deshalb wird in wenigen Jahren kein Mensch mehr wissen, woher das Wort »versypht« eigentlich kommt. Und darum ist es ein unschätzbares Verdienst des »rabenstarken Lexikons«, daß es wenigstens hier — zum Nutzen für die späteren Generationen — noch einmal verzeichnet steht. Also: Dieses Buch aufheben und an Kinder, Kegel und Kindeskinder weitervererben. Danke.

SICH WIEDERFINDEN

Sich wiederfinden: Der Mensch ist bekanntlich stets auf der Suche nach sich selbst; insbesondere seit er in der ersten Hälfte des 20. Jahrhunderts sein sog. *Ich* verloren hat (siehe: Gottfried Benn). Unter diesem Verlust leidet der Alternative ganz besonders stark. Denn seine Biographie ist von einer nicht enden wollenden Kette von Schicksalsschlägen gezeichnet. Fünfziger Jahre: Existentialismus. Sechziger Jahre: Kritische Theorie. Siebziger Jahre: Harrisburg. Achtziger Jahre: Jupp Derwall. Infolge dieser vielfältigen Erschütterungen ist der Alternative in seiner Identität zerrüttet und deshalb ständig auf der Suche nach sich selbst. Wenn er z. B. im Kino war, dann sagt er hinterher: »Echt, in dem Film hab' ich mich überhaupt nicht wiedergefunden.« Oder wenn du ihm erzählst, wie's dir gerade so geht, dann antwortet er: »Du, da kann ich echt nichts anfangen mit, da find' ich mich gar nicht wieder.« Falls du jetzt meinst, das hättest du auch gar nicht beabsichtigt, dann haste wieder mal gar nix kapiert. Darum: Zurückblättern und das »rabenstarke Lexikon« nochmal ganz von vorne lesen.

ÄNDE !

Tja, das war's. Aber war doch eine ganze Menge für zehn Mark, oder? Wobei — ich geb's ja zu — der alternative Sprachreichtum damit natürlich noch nicht annähernd erschöpft ist. Im Gegenteil, Hunderte von neuen Wörtern harren noch der tiefgründigen und kritischen Erörterung, und täglich werden es mehr. Darum hat mir auch der hochzuverehrende Eichborn Verlag schon die unglaublichsten Angebote gemacht, damit ich sofort Teil 2, Teil 3 und Teil 10 schreibe. Aber nix da, ich bin unbestechlich. Die Koffer sind gepackt, das Flugzeug wartet schon. Jetzt geht es nämlich — subito — ab auf die Fidschi-Inseln, wo ich einen Einöd-Hof in Fronpacht gemietet habe. Und da werden wir jetzt die Riesenlandkommune steigen lassen: ein paar dufte Typen, jede Menge klasse Mädels, und ich mitten drin. Na, ich denke, da könnt ihr mich verstehen.

Damit ihr mich aber ein bißchen im Gedächtnis behaltet, hier noch schnell ein Erinnerungsfoto des rabenstarken Autors und ein paar biografische (siehe: bio) Angaben.

Wolfgang Prosinger, geb. 1948. Lebte vor seiner Emigration auf die Fidschi-Inseln in Freiburg, arbeitete dort als Redakteur der »Badischen Zeitung«. Veröffentlichungen: »Laßt uns in Frieden. Porträt einer Bewegung«. Rowohlt, 1982. »Krieg im Frieden«. Zum Freiburger Häuserkampf, rororo aktuell 4739, 1981. »An die Winzer und Bauern vom Kaiserstuhl«. In: Zuviel Pazifismus? rororo aktuell 4846, 1981.

Register

Bockstarke Märchen
Das Beste, was je in Scene-
Sprache geschrieben wurde. 12
Grimmsche Märchen: Sternta-
ler auf'm Wahnsinnstrip, Frau
Holle wedelt die Rheuma-
decken aus, eine Emanze er-
zählt Froschkönig etc. **Das
Ganze super (!) illustriert,
12,80 DM** (1811)

Schadenfreude
Die irrsten Flops, die genialsten Versager — hier sind sie versammelt. Massenhaft Schadenfreude von der besten Sorte! — Der Westdeutsche Rundfunk urteilt so: »Seit das Lexikon der Niederlagen erschienen ist, kann das Guinness-Buch der Rekorde einpacken.« **16,80 DM** (1082)

Freches Volksmaul
Eine Sammlung, die es bisher nicht gab: derbe, aufmüpfige, listige, zweideutige, gescheite, erfrischende, aggressive und lustige Sprichwörter. — »Wenn die Zähne weg sind, hat die Zunge freies Spiel!« Stimmt doch. Oder? — Über 1200 schnodderige Sprichwörter. **16,80 DM** (1083)

Heilsame Lektüre
Vorurteile sind Schwachsinn, der tödlich enden kann. Es gibt harmlos blöde Vorurteile: »Blondinen sind dumm.« Und grauenerregende, die in Auschwitz mündeten. Hier stehen Hunderte absolut gebräuchliche Vorurteile beisammen. Heilsame Lektüre, die hin- und herreißt zwischen Entsetzen und Lachkrämpfen.
16,80 DM (1080)

Heimzahlen
Das Lexikon gegen Chefs und andere Ärgerlinge: denn Rache ist süß. Wir bieten massenhaft praktische Rezepte, wie man Bösewichtern ihre Gemeinheiten wirkungsvoll heimzahlt. Lesen und in Vorfreude schwelgen! **Viel Rache für nur 16,80 DM** (1087)

Der neue Trend
Die subversive Welle rollt. Jetzt geht's Bürokraten, Bonzen, Machtfetischisten, Ausbeutern, Computern, der Kulturmafia und anderen Wichtigtuern ans Leder. Das subversive Lexikon, pickepacke-voll mit erlebter, erprobter + erlogener Action, das deine Phantasie beflügelt. **16,80 DM** (1084)

Wollschon gibt Saures
Deutsche Spitzenpolitiker und »diese ihre« Gesellschaft tunkt Wollschon von A bis Z in den Kakao. Da ist echt die Sau los. Durchlesen, sich die Hucke voll lachen und die besten Wollschon-Gemeinheiten bei der nächsten Fete zum besten geben. — Ein Mehrzweckgenuß für hartgesottene Zyniker. **16,80 DM** (1081)

92

Zwerge, Wichtl & Co.
Endlich liegt es vor: das Handbuch zur Bestimmung der elbischen Wald-, Feld-, Wasser-, Haus-, Berg-, Hügel- und Luftgeister. 79 Bilder vom berühmten »Yellow-Submarine«-Zeichner Heinz Edelmann. Peter Rühmkorf: »Unentbehrlich für jeden Geisterseher und Gespensterkundler.«
320 Seiten dick, Leinen, 36,— DM (1027)

Märchen entwirrt
Berühmte Märchen für Leute von heute aus einer veränderten Perspektive neu erzählt. Da tut sich einiges im Kopf — beim Lesen. Inhalt: Froschkönig, Schneewittchen, Rapunzel, Hänsel und Gretel, Hans mein Igel, Bremer Stadtmusikanten, Nixe im Teich, Bärenhäuter, Der gestiefelte Kater.
Nur 16,80 DM (0118)

Revolte in Röcken
Der berühmte Dylan Thomas (»Unter dem Milchwald«) hat diesen Roman als Filmvorlage geschrieben. In rasanten Szenen werden die aufrührerischen Umtriebe walisischer Bauern und Edelleute geschildert, die die Ausbeuter das Fürchten lehren. Und das alles in malerischen Frauenkleidern.
24,80 DM (0119)

Spannender kann Weltliteratur nicht sein!
Die drei von Peter Schultze-Kraft herausgegebenen Bände ergeben ein unübertroffen umfangreiches und sorgfältig zusammengestelltes Lesewerk der lateinamerikanischen Literatur. Jeder Band für sich ist ein faszinierendes Lesebuch. Ne-

ben weltberühmten Erzählern wie Márquez stehen Unbekannte. Allen gemeinsam ist die vitale Erzähllust, das politisch-soziale Engagement, die Liebe zum eigenen Volk, die Abscheu vor Unterdrückung und die Kunst, dramatische Handlungen aufzubauen, zu forcieren und zum

nervenaufpeitschenden Höhepunkt zu führen. — Wagen Sie das Leseabenteuer Lateinamerika; Sie werden viel erleben! Jeder Band mit erklärenden Einführungen von Peter Schultze-Kraft. Preise in der Reihenfolge:
19,80 DM (0109), 19,80 DM (0116), 28,— DM (0304)

Der grosse Boss
Das Alte Testament
Unverschämt fromm neu erzählt
von Fred Denger

Eichborn

Eine Leseorgie
Hier wird das komplette Alte
Testament rasant runterer-
zählt. Mit Spaß und Spannung,
»Sex and Crime«, für Christen
und Nichtchristen. »Dieser un-
heilige Knüller« (Münchner
Merkur) »fasziniert wie ein
Gute-Nacht-Krimi« (Die Zeit).
Der neue Weg zur alten Bibel,
848 heitere Seiten lang.
Nur 16,80 DM (0100)